BÉBÉ

l'école des loisirs
11, rue de Sèvres à Paris 6ᵉ

par Fran Manushkin
illustré par Ronald Himler

Adaptation française de Anna Solal, avec la collaboration de Frédérick Leboyer
© 1972, Fran Manushkin, pour le texte original
© 1972, Ronald Himler, pour les illustrations
© 1976, l'école des loisirs, Paris, pour l'édition en langue française
Titre original : Baby (Harper & Row/New York, 1972)
Imprimé en France.

A Frédérick Leboyer
qui comprend si bien les bébés.

Madame Bontemps faisait pousser un bébé.
Elle lui donnait à manger avec grand soin.

Comme petit déjeuner elle lui donnait
du lait, des œufs à la coque
et de la bonne brioche aux raisins.

«C'est bon?» demandait-elle à Bébé.
Et, tout au fond d'elle-même,
elle l'entendait qui disait : «Ummm!»

Le petit déjeuner terminé,
Madame Bontemps, qui aimait dessiner,
s'installait dans son atelier.

Avec du rouge, du bleu,
du jaune et du vert,
elle peignait des fleurs et des fruits.

Elle en parlait avec Bébé.
«Est-ce que tu aimes
ces images que je t'ai faites?»
Et elle l'entendait qui disait : «Ummm!»

Tout allait donc à merveille
quand, un beau jour, Madame Bontemps
emmena Bébé promener dans les bois.

«Bébé, si tu savais
comme les fleurs sont belles !
Tu verras quand tu naîtras.»

«J'veux pas naître !» dit Bébé.
«Oh, mais si, tu naîtras !»
dit Madame Bontemps.

«Non. Je reste où je suis»,
dit Bébé, entêté.
Madame Bontemps se mit à pleurer :
«Mais qu'est-ce que je vais faire?»

Et elle rentra à la maison.

Ses enfants revenaient de l'école :
Madame Bontemps leur raconta tout.
«Ne pleure pas, Maman.
Moi, je sais comment faire sortir Bébé.»

Catherine mit alors sa tête
contre le ventre de sa mère :
«Bébé, tu m'entends?»
Et elle entendit Bébé qui disait : «Oui.»

«Sors de là!»
hurla Catherine de toutes ses forces.
«Ouaaa!...» dit Bébé,
«tu me fais bien trop peur.»

Ce fut le tour de Marc
de mettre sa tête
contre le ventre de Maman :
«Bébé, tu m'entends?»
«Oui», dit Bébé.

«Sors un peu et
je te donnerai une pièce de un franc!»
«Ouaaa, dit Bébé, une pièce de un franc,
qu'est-ce que c'est?
Et puis, non, j'sortirai pas!»

**Arriva Grand-Mère
qui mit sa tête
contre le ventre de sa fille.**

«Bébé, tu m'entends?
Je suis ta Grand-Maman.»
«Ah, oui» dit Bébé.
«Si tu sors, je te ferai
un merveilleux gâteau au chocolat.»

«Ouaaa, dit Bébé, j'en veux pas!
Je mange très bien où je suis.
Et puis, non, j'sortirai pas!»

Alors vint le père de Madame Bontemps
qui mit la tête
contre le ventre de sa fille.

«Bébé, tu m'entends?
Je suis ton Grand-Papa.»
«Ah, bon!» dit Bébé.
«Si tu sors, je t'emmènerai
faire une promenade en voiture.»

«Ouaaa», dit Bébé. «Non, j'irai pas!
Je suis très bien ici :
C'est Maman qui me promène.»

Et Bébé s'endormit.

Tout le monde se lamentait :
«Que faire ? Que faire ?»

Quand papa rentra à la maison...   ... il donna un baiser à sa femme.

Il donna un baiser à Catherine
et un baiser à Marc.

Puis il embrassa Grand-Mère
et Grand-Père.

Et tous firent : «Ummm!»

«Hé-là! Qu'est-ce qui se passe?»
dit Bébé.
«Ce n'est rien, dit Papa.
Je donne des baisers.
Tiens, en voilà un pour toi.»

Et, mettant sa tête
contre le ventre de sa femme,
il donna un gros baiser à Bébé.

«J'ai rien senti!» dit Bébé.
«Eh, oui», dit Papa, «pas encore.
Attends d'être dehors.»

«J'arrive!» hurla Bébé.
Et tout le monde s'écria :
«Attends! Attends!»

Le docteur Fleury accourut
pour aider Bébé à naître.

«Oh, le beau bébé!» dit le docteur.
«Ouais, dit Bébé. Et mon baiser?»

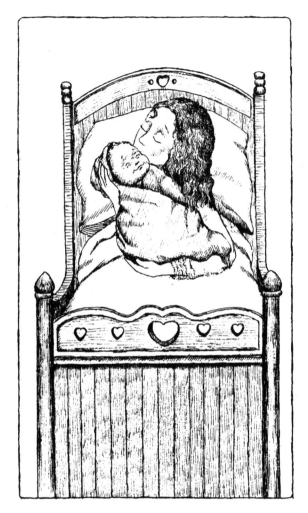

Alors Maman l'embrassa.

Et puis Papa.

Et Marc.
Et Catherine.

Et Grand-Maman.
Et Grand-Papa.

«Ummm!» dit Bébé. «Je reste. J'aime ça.»
Et Bébé s'endormit avec le sourire
dans les bras de sa Maman.

Et voilà l'histoire
de Monsieur et Madame Bontemps
de Marc et Catherine
de Grand-Père et Grand-Mère
... et de Bébé...

... qui, un beau jour,
se mit à marcher et à parler...

... et puis à peindre
de belles fleurs toutes dorées.

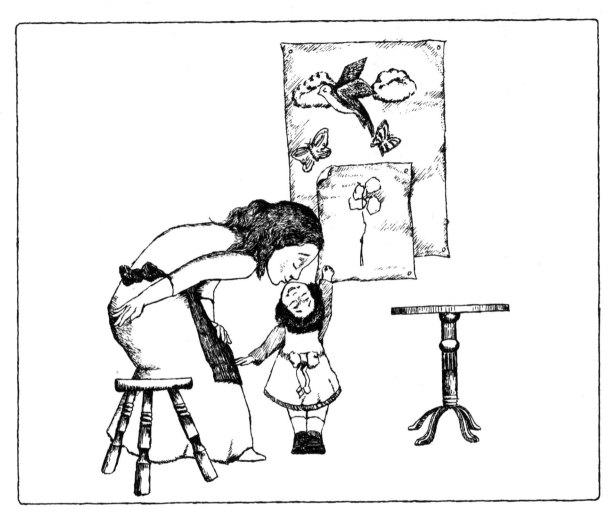

Mais ce que Bébé aimait le mieux,
c'était encore les baisers.

MAURY-IMPRIMEUR S.A. 45330 MALESHERBES